雪女の家
おけら山
ちくちく森
おおかみ男の家
ひりひり滝
ぬるぬる池
かたかた橋
にこにこ
ぷんぷん
めそめそ
の花畑
ぞくぞく劇場
美術食館
ぞくぞく小学校

ぞくぞく村の

とうめい人間《にんげん》
サムガリー

末吉暁子・作　垂石眞子・絵

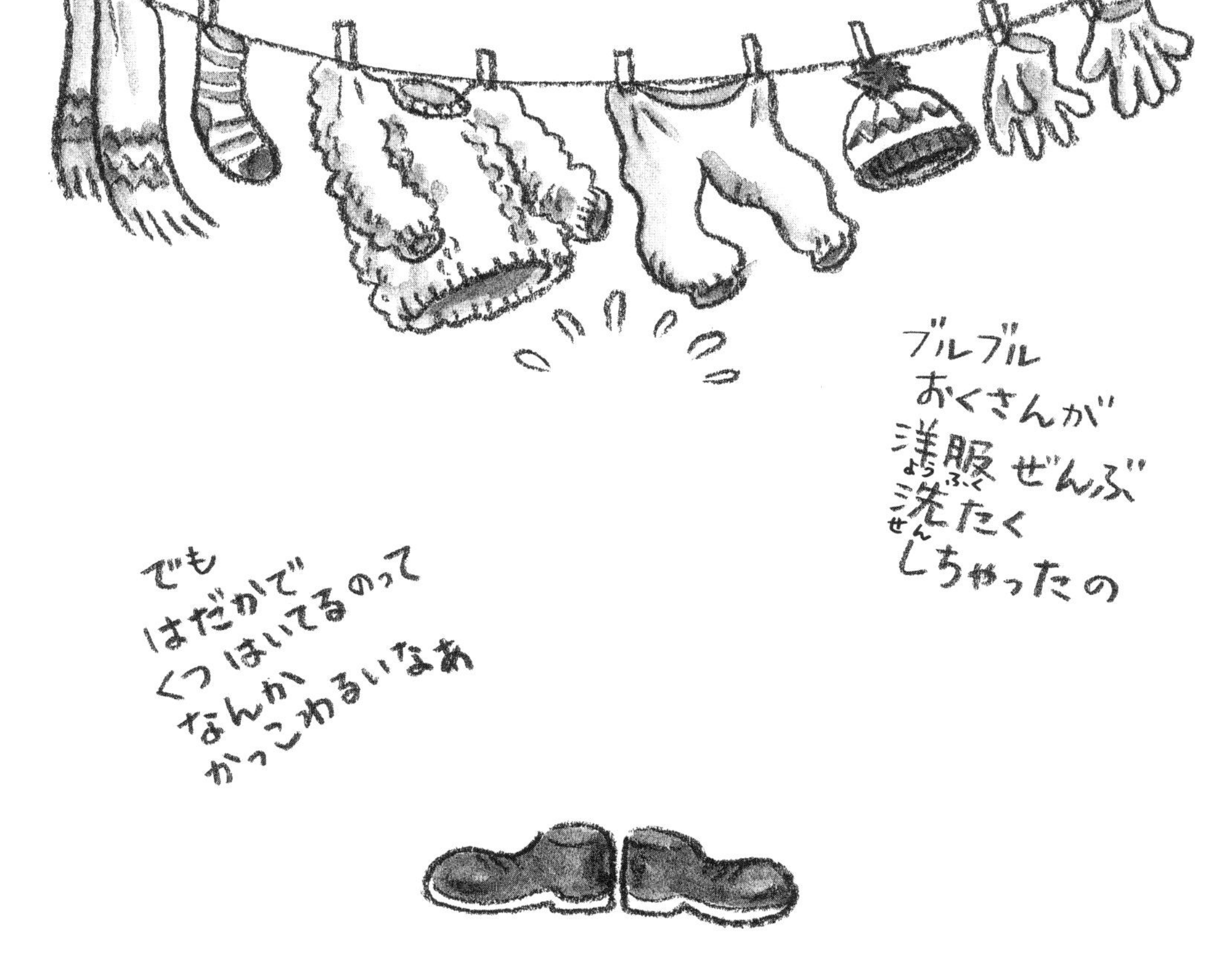
ブルブル
おくさんが
洋服《ようふく》ぜんぶ
洗《せん》たく
しちゃったの
でも
はだかで
くつはいてるのって
なんか
かっこわるいなあ

ぞくぞく村《むら》のブティック「びっくり箱《ばこ》」の主人《しゅじん》は、とうめい人間《にんげん》のサムガリー。

その名《な》のとおりさむがりで、今日《きょう》も毛糸《けいと》のぼうしにマフラーまいて、おでかけです。

ヘックショイ

やってきたのは、ミイラのラムさんの、こっとう品《ひん》のお店《みせ》。

「もうすぐ、うちのおくさんのたんじょう日《び》なんだ。なんか、こう、びっくりするようなプレゼント、ないかなあ。」

サムガリーが、お店《みせ》の中《なか》を見《み》まわしながら言《い》うと、ラムさんは、

「まっかせなさい！」

ドーンとむねをたたきながら、言《い》いました。

「おくさんのプレゼントに、ピッタシのものがあるんだよ。」

そう言《い》って取《と》りだしてきたのは、古《ふる》ぼけて
うす茶色《ちゃいろ》になった
紙切《かみき》れです。

「なんじゃ、これ。おや、地《ち》図《ず》だ。あれ、ひりひり滝《だき》や、ひそひそ川《がわ》や、ぬるぬる池《いけ》がある。てことは、ぞくぞく村《むら》の地《ち》図《ず》だ。」

「そういうこと。しかも、左《ひだり》の上《うえ》の方《ほう》のキラキラ印《じるし》。これ、なにに見《み》える？」

「うーん。きらきら光《ひか》る宝石《ほうせき》かな？

ん？　ってことは、これ、
宝《たから》の地図《ちず》……？」
「ピンポーン！」
「はは、宝物《たからもの》の地図《ちず》を
プレゼントするってのも、
ゆめがあっていいなあ。
気《き》に入《い》った。いくら？」
サムガリーがお金《かね》をはらおうと
すると、ラムさんは、
「チョッチョッチョッチョッチョ。」
と人《ひと》さし指《ゆび》をふって、言《い》いました。

「そうじゃないんだよ。今《いま》からいっしょに、行《い》くんだよ。宝物《たからもの》をさがしに。これは、ほんものの宝《たから》の地図《ちず》なんだってば。」

「へ？」

「ほら、ここに、船乗《ふなの》りフンジバットと署名《しょめい》があるだろ？　船乗《ふなの》りフンジバットといえば、その昔《むかし》、アラビアに住《す》んでいた命知《いのちし》らずの冒険《ぼうけん》やろうだ。たしか、二度目《どめ》の航海《こうかい》で宝《たから》の山《やま》を見《み》つけて大金《おおがね》持《も》ちになったはずだ。」

「じゃあ、その宝《たから》の山《やま》が、ここ……？」

「そ。おくさんへのプレゼントは、その宝物《たからもの》なんだよ！」

聞《き》いていたサムガリーのとうめいな顔《かお》の中《なか》で、一しゅん、両《りょう》のひとみがキラキラキラキンと光《ひか》って、もとどおり消《き》えました。

そのとき、まどの外《そと》に止《と》まっていた、一わのこうもりが、

「いいこと、聞《き》いちゃった！」

と、つぶやいて、ぐずぐず谷《だに》の方《ほう》に飛《と》んでいったのですが、二人《ふたり》とも気《き》がつきませんでした。

「ただね、ちょっとふしぎなのは、宝物《たからもの》のある場所《ばしょ》が、岩《いわ》ごつごつの高《たか》い山《やま》と深《ふか》い谷《たに》になってることなんだよ。ぞくぞく村《むら》では、そこは雪女《ゆきおんな》の住《す》んでるおけら山《やま》のはずなのに。とにかく、おけら山《やま》に行《い》ってみようよ。」

雪女《ゆきおんな》と聞《き》いただけで、サムガリーは、ぞくぞくっとさむくなってきたのですが、ここでやめては、プレゼントもパーです。

「よし、がんばるぞ！」

二人《ふたり》が、ラムさんのお店《みせ》を出《で》て、かたかた橋《ばし》をわたろうとしたときでした。

頭《あたま》の上《うえ》から、ブイーンとなにかが飛《と》んできたと思《おも》ったら、

ドッボーン！　バッシャーン！

飛《と》びこんできたのは、大《おお》きなおなべ。

そうです。こりずに、まだ大《おお》なべにのって空《そら》を飛《と》んでいる魔女《まじょ》のオバタンです。

さかさまになった大《おお》なべから、はいずりでてきた魔女《まじょ》のオバタン、

「へっへっへ。聞《き》いたよ、聞《き》いたよ、こうもりのバッサリから。あんたたち、あたしをぬきにして、宝《たから》さがしをしようなんて、身《み》のほど知《し》らずだよ。さ、のった、のった。おけら山《やま》なんかひとっとびさ。」

ラムさんとサムガリーは、大《おお》なべの中《なか》にひっぱりこまれました。

オバタンがじゅもんをとなえると、大《おお》なべは、うーん、うーんと重《おも》そうに飛《と》びあがりました。

おおかみ男《おとこ》の家《いえ》のえんとつをかすめ、ちくちく森《もり》の上空《じょうくう》にやってくると、高《たか》い木《き》たちは、あわてて首《くび》をひっこめて、大《おお》なべをやりすごします。

「おけら山《やま》の頂上《ちょうじょう》は、まっ白《しろ》に雪《ゆき》をかぶってる。さむそうだなあ。」

「雪女《ゆきおんな》の家《いえ》が見《み》えてきたぞ。」

「それっ、着陸《ちゃくりく》だ!」

大《おお》なべは、ズドドド、ドーッと、雪女《ゆきおんな》の家《いえ》のドアにつっこんで止《と》まりました。

まどからころがるように飛《と》びだしてきたのは、雪《ゆき》だるま。

そうです。これが、雪女《ゆきおんな》のユキミダイフクです。

「だれやー。ドアこわしたの。まーた、魔女《まじょ》のオバタンかいな。こないだ、そのドア、直《なお》したばっかりなんよ！」

ユキミダイフクは、白《しろ》い息《いき》をはいておこっていましたが、大《おお》なべの中《なか》からぞろぞろと出《で》てきた面々《めんめん》を見《み》て、びっくり。

「おやま、めずらしい。ミイラのラムさん。そのぼうしとマフラーは、とうめい人間《にんげん》のサムガリーさんやね。」

「ファックション！」

「やっぱり。おそろいでいったい、どないしたん？」

「それが、じつは……。」

ラムさんから話《はなし》を聞《き》いて、宝《たから》の地図《ちず》を見《み》たユキミダイフクは、大《おお》きな頭《あたま》をひねりました。

「へんやね。あては、大昔《おおむかし》からここに住《す》んどるけど、ずーっとここは、万年雪《まんねんゆき》をかぶってまっせ。こりゃ、おけら山《やま》とちゃうで。」

「じゃあ、これはぞくぞく村《むら》の地図《ちず》じゃないんだ。」

みんな、ガックリとかたを落《お》

としました。

「そやけど、この地図《ちず》では、ひりひり滝《だき》のとちゅうから、岩《いわ》山《やま》に出《で》るんやないの。ほな、ひょっとしたら……。」

「ひょっとしたら？」

「ひょっとすると、こら、アッチャの世界《せかい》にぬけるほらあなのことかもしれんなあ。」

ユキミダイフクは、のんびりと言《い》いました。

「なんや、その、アッチャの世界《せかい》て。」

オバタンにも、ユキミダイフクの言葉《ことば》がうつってしまいました。

「アッチャの世界《せかい》いうたら、異次元世界《いじげんせかい》のことやんけ。これ、おばあはんから聞《き》いた、ないしょの話《はなし》やけどなあ、ひりひり滝《だき》のうら側《がわ》には、アッチャの世界《せかい》に通《つう》じるほらあながあるんやて。けどな、百年《ひゃくねん》に一度《ど》ぐらいしか開《ひら》かないんや。フンジバットはんは、たまたま、そのほらあなが開《ひら》いていたときに、ぞくぞく村《むら》まで足《あし》をのばしたんとちゃう？」

「なるほど。で、次《つぎ》にそのほらあなが開《ひら》くのは、いつです？」

ラムさんが、冷静《れいせい》にたずねました。

「そんなこと、あてにわかるかいな。ま、でも、ほらあなが開《ひら》く前《まえ》には、なんか前《まえ》ぶれがあるやろ。たとえば、滝《たき》の水《みず》がピタリと止《と》まるとかやなあ、赤《あか》い雪《ゆき》がふってくるとかやなあ。」

言《い》いおわらないうちに、ピランと赤《あか》い花《はな》びらのようなものがふってきて、ユキミダイフクのほっぺたにはりつきました。

「ん？」

と、みんなが見《み》ているうちに、ピラピラ、ピラピラふってきて、たちまちユキミダイフクのからだは、赤《あか》い水玉《みずたま》もようになりました。

「あれま。なんじゃいな、赤《あか》い雪《ゆき》や！」

みるみるユキミダイフクのからだが、赤《あか》いだるまさんのようにそまっていきます。もちろん、みんなの上《うえ》にもふってきて、あたりの景色《けしき》は、どこもかしこも、いちごのかき氷《ごおり》のようになりました。

「前《まえ》ぶれだあ！」
「ほらあなが開《ひら》くんだ！」

オバタンもラムさんも、おどりあがって、大《おお》なべの方《ほう》にかけだしました。

ブハーックショイ
あのー。
なんか、こう、さっきからぞくぞくするんだけど、
あったかーい
お茶《ちゃ》でものませてもらえたら、
うれしいな、なんて思《おも》っちゃったりして……。
ざんねんやったね。
うちは火気厳禁《かきげんきん》や
から、あったかい
ものって、
なーんも
ないんよ。
いちご
シャーベット
なんて、
どやね？

ブルル。よけい、さむくなってきた。さいなら。

ほらあなが開《ひら》いとるのは、一日《にち》だけやと、おばあはん、言《い》うとったで。ぐずぐずしとると、行《い》ったっきりになるで。

これだけ教《おし》えてやったんやから、宝物《たからもの》、見《み》つけたら、あてにもおくれよ。ほな、グッドラック！

「それっ！　めざすはひりひり滝《だき》だ。たのむよ、大《おお》なべ。」

オバタンは、ピシピシ大《おお》なべにむちを入《い》れます。

「どこへ着地《ちゃくち》する気《き》だろう。」

「滝《たき》つぼにでも落《お》ちたら、コトだぞ。」

「早《はや》めに飛《と》びおりようね。」

ラムさんとサムガリーは、手《て》を取《と》りあって、いつでも飛《と》びおりる用意《ようい》をしました。

「ひりひり滝《だき》が見《み》えてきたぞう！」

「ああっ！」

みんなは、目《め》をぱちくり。

滝《たき》の水《みず》は、ちょろりとも流《なが》れおちていず、むきだしになった滝《たき》のうら側《がわ》に、ぽっかりと、ほらあなが口《くち》を開《あ》けているではありませんか。

「おおっ、あれぞ、アッチャの世界《せかい》に通《つう》じるほらあなにちがいない！　それ、大《おお》なべ、あのほらあなにつっこめ！」

オバタンは大《おお》はりきりですが、青《あお》くなったのはあとの二人《ふたり》です。

なぜって、どう見《み》てもそのほらあなは、大《おお》なべが入《はい》るぎりぎりの広《ひろ》さしかありません。このまま行《い》ったら、がけに激突《げきとつ》です。

「飛《と》びおりろ！」

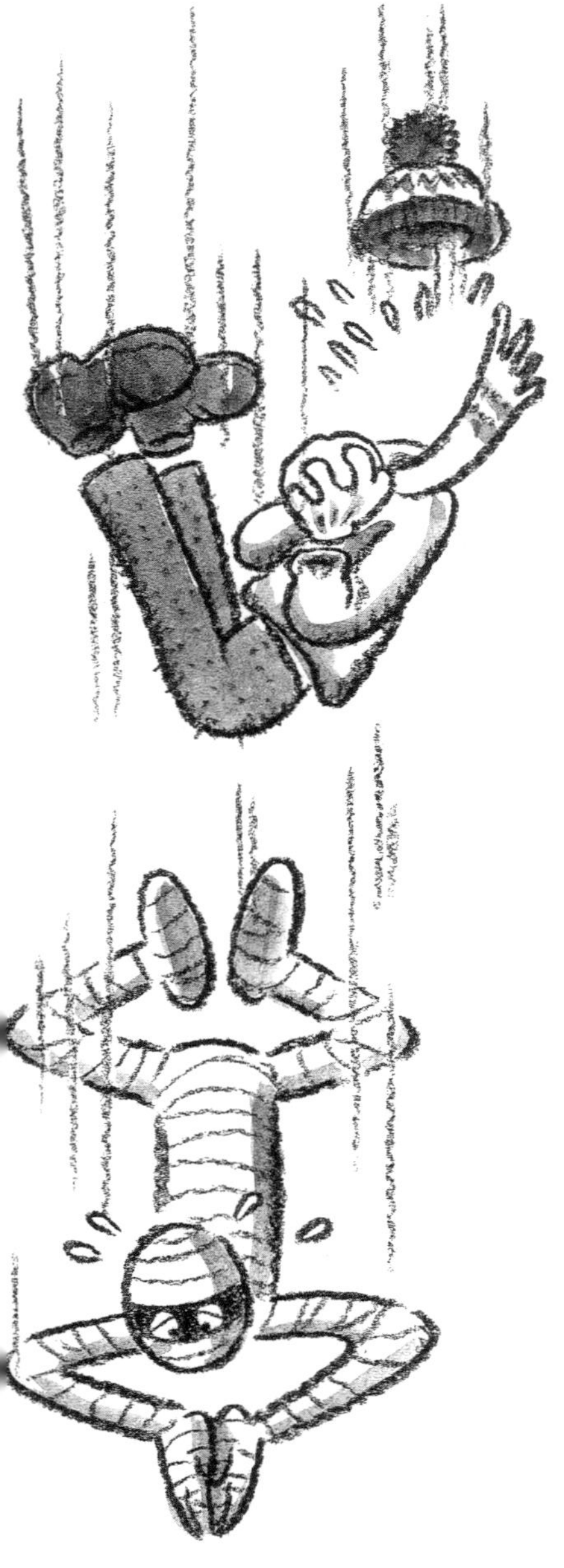

二人《ふたり》は、ばったのように大《おお》なべから飛《と》びおりると、ひそひそ川《がわ》に飛《と》びこみました。

「やれやれ、命《いのち》がけだ。」

ラムさんとサムガリーが、ようやく立《た》ちあがると、

「おうい！　あんたたち、宝《たから》さがしはやめたのかい？」

オバタンの声《こえ》が、ふってきました。見《み》あげると、ほらあなにすっぽり入《はい》った大《おお》なべから、オバタンがはいだしてくるところでした。

「うまくあそこに着陸《ちゃくりく》したんだ。」

「信《しん》じられない。」

サムガリーとラムさんが、ほらあなまではいあがっていくと、

「さあ、大《おお》なべを横《よこ》だおしにして、ころがしていくんだ。ぐずぐずしないで、おした、おした。」

オバタンが、大《おお》いばりで言《い》いました。

「オバタン、大《おお》なべはここにおいてった方《ほう》がいいんじゃない?」

サムガリーが言《い》ったのですが、

「ばか言《い》っちゃいけないよ。もしも宝物《たからもの》が見《み》つかったら、この大《おお》なべにぎっしり、つめこんでくるんじゃないか。」

オバタンはなんとしてでも、大《おお》なべを持《も》っていくつもりです。

三人《にん》は、大《おお》なべを、ゴロンゴロンところがしながら、ほらあなの中《なか》を進《すす》んでいきました。

オバタンは、一人《ひとり》はりきって
歌《うた》いました。

エイヤラヤー
トンネルぬけたら　宝《たから》の山《やま》さ
船乗《ふなの》りフンジバットの　宝《たから》の山《やま》さ
キラキラリン！
目《め》もくらむよな　宝石《ほうせき》さ
大《おお》なべにぎっしり　エイヤラヤーさ

とうとう、ゆくてにポチンと明《あ》かりが見《み》えてきました。

「イヤッホー！　出口《でぐち》が見《み》えたぞ！」

オバタンはさけぶと、一人《ひとり》、大《おお》なべをのりこえて、かけだしました。

あとの二人《ふたり》も大《おお》なべをころがしながら、自然《しぜん》にかけ足《あし》になってくるのでした。

「ついに出《で》たぞ！」

あなの出口《でぐち》の前《まえ》に広《ひろ》がる岩《いわ》だなには、はじっこの方《ほう》に大《おお》きな鳥《とり》の巣《す》がありました。

オバタンの大《おお》なべほどもある、はでなもようの卵《たまご》が三こ、巣《す》の中《なか》に見《み》えます。

「あのでっかい卵《たまご》は、トリドリのものにちがいない。親鳥《おやどり》がそばにいるかもしれないから、気《き》をつけよう。」

ラムさんが、あたりの空《そら》を見《み》まわしながら言《い》いました。

さいわい、今《いま》のところ親鳥《おやどり》のすがたは、かげも形《かたち》も見《み》えません。

そうっと岩《いわ》だなのふちまで行《い》って、下《した》をのぞきこんだラムさんは
ゾゾゾ、ゾー。岩《いわ》だなは、目《め》もくらむような高《たか》い断崖絶壁《だんがいぜっぺき》のとちゅうにあったのです。

つづいて谷底《たにぞこ》をのぞいたサムガリーは、「おおっ!」とさけんで身《み》をのりだし、あぶなくまっさかさまに落《お》っこちるところでした。

「あわわわ、わ。」

なんと、谷底《たにぞこ》いちめんのまぶしいきらめきが、切《き》りたったがけのあちこちに、ミラーボールのように反射《はんしゃ》して、巨大《きょだい》な宝石箱《ほうせきばこ》を開《あ》けたようなながめではありませんか。

「た、た、谷底《たにぞこ》は、ダイアモンドでいっぱいだ……。」

「そうら、ごらん。あたしの大《おお》なべの出番《でばん》だよ。」

オバタンが、さっそうと大《おお》なべにのりこもうとしたときでした。

バサッバサッ、バサッ！

巨大《きょだい》なうちわであおぐような音《おと》が、空中《くうちゅう》でしたかと思《おも》うと、ピュピューンと風《かぜ》がふき、一しゅん空《そら》がまっくらになりました。

おどろいてみんなが見《み》あげると、なんとまあ、ひこうきほどもあるでっかい鳥《とり》が、まっすぐ、岩《いわ》だなめざしてまいおりてくるではありませんか。

「トリドリだ。にげろ！」

大《おお》なべをつっころばしてにげながら、オバタンがさけび、みんなはいちもくさんに、ほらあなの

中《なか》に飛《と》びこみました。

岩《いわ》だなにまいおりてきたトリドリは、やしの葉《は》っぱのおばけみたいなつばさをたたむと、ひと声《こえ》。

「ギャ、ギャーオ！」

向《む》かい側《がわ》の岩山《いわやま》が、プルル、ル。

ほらあなの中《なか》でも、みんな、ゾゾゾ、ゾー！

トリドリが、大《おお》なべに気《き》がつきました。
ふしぎそうな目《め》つきでながめていましたが、
近《ちか》づいてくると、くちばしでチョンチョンチョンと、
つつきました。
ゴロンと底《そこ》を見《み》せてころがった
大《おお》なべを、トリド
リはなにを思《おも》った
か、いきなり両足《りょうあし》
でわしづかみにし
て、巣《す》の中《なか》へ運《はこ》ん
でいったのです。

そして、どっかりと
巣《す》の上《うえ》にすわりこんだ
ではありませんか。
「ま、まずい！　大《おお》な
べを卵《たまご》だと思《おも》ってる
んだ。」
「むむむ、グヤジー！
かんじんなときに、
大《おお》なべが使《つか》えない。」
さすがのオバタンも
手《て》も足《あし》も出《で》ません。

「くそっ、ダイアモンドは目《め》の前《まえ》にあるというのに。」

「いつまで、ああやってすわりこんでるのかな。」

「はらがへれば、なにかつかまえに出《で》てくるだろう。」

サムガリーは、そう言《い》ったものの、自分《じぶん》たちがトリドリのごちそうになるところを想像《そうぞう》して、ブルルッと首《くび》をふりました。

「こんなことしてたら、向《む》こうの世界《せかい》にもどれなくなるぞ。」

ラムさんが、ボソッとつぶやきました。

「そうだ！　いい考《かんが》えがあるぞ。」

オバタンが、パチンと指《ゆび》を鳴《な》らして言《い》いました。

「ラムさんのほうたいをほどいて谷底《たにぞこ》にたらし、サムガリーさんがはだかになって、つたいおりてくんだよ。そうすりゃ、だれにも見《み》えないだろ？　そいでもってさ、ほうたいのはじっこにダイアモンドをくくりつけてひきあげる。これを何度《なんど》もくりかえすんだよ。あたしって、なんて頭《あたま》いいんだろ。」

サムガリーとラムさんは、顔見《かおみ》あわせて、

「……。」

「しゃあない。やってみるか。」

ラムさんがかくごを決《き》めて、ほうたいをほどきはじめました。

「ううう。かぜひかなきゃいいけどな。」

サムガリーは、なくなく、はだかになりました。

「トリドリが向《む》こうの方《ほう》を向《む》いて、目《め》をつぶってるぞ。今《いま》のうちに早《はや》く!」

ほらあなからそうっと外《そと》のようすをながめたオバタンに言《い》われ、ラムさんは、ほうたいのはしっこを、がけっぷちからズルズルと谷《たに》底《ぞこ》にたらしはじめました。

ほうたいの反対側《はんたいがわ》のはじっこが、岩《いわ》のでっぱりにしっかりと結《むす》びつけられたのをたしかめると、

「行《い》ってきまーす。グスン。」

サムガリーは、決死《けっし》のかくごで、ほうたいをつたって、谷底《たにぞこ》へおりていきました。

こわいので、あんまり下《した》を見《み》ないようにして、そろりそろりとおりていくと、ようやく、足《あし》がなにかにさわりました。

「やった！　おりられたぞ。」

けれども、なんだかぬるっとした、いやーな感《かん》じ。

ひょいと下《した》を見《み》たサムガリー、

「ギャアッ！」

とさけんで、飛《と》びはなれました。

それは、とぐろをまいておひるね中《ちゅう》の大《おお》へびだったのです。

頭《あたま》をもたげた大《おお》へびは、キョトン！

たしかに頭《あたま》をふんづけられたし、声《こえ》もしたのに、あたりにはだれもいないのですから……。ただ、がけの上《うえ》から長《なが》いおびが一本《ぽん》、ぶらさがってゆれているだけです。

サムガリーは、足《あし》もとに落《お》ちていたこぶし大《だい》のダイアモンドをひろうと、思《おも》いっきり遠《とお》くにほうりなげました。

ビューッ、キン、コロコロコロン。

「！」

へびは、そっちの方《ほう》に、すっとんでいきました。

「しめた！　今《いま》のうち。」

サムガリーは、大《おお》いそぎで、そのへんのダイアモンドをいくつかひろうと、ほうたいのはじっこで、ぐるぐる巻《ま》きにしました。

するするすると、ほうたいはひきあげられていきます。

「よし、うまくいったぞ。」

ふりかえったサムガリーは、ぎくっ！

なんと、さっきの大《おお》へびが、すぐそばにもどってきているではありませんか。

へびは、ぺろりぺろりと舌《した》なめずりをしながら、「そのへんにいるのは、わかってるんだぞ。」と言《い》わんばかりに、ゆだんなくあたりを見《み》まわしています。

ちょっとでも身動《みうご》きしたら、ひとっとびでおそいかかってこられそうな気《き》がして、サムガリーは息《いき》まで止《と》めて、じっとしていました。

けれど、なんといっても、丸《まる》はだかのすっぽんぽん。おまけにカチカチにきんちょうしています。

だまっていても、歯《は》の根《ね》がガチガチ鳴《な》りだしました。

そして、ついに、「ブハックショーイ！」

ブハック
ショート
!

へびがまっすぐこちらを向《む》いて、「！」という顔《かお》になりました。

くあっと口《くち》を開《ひら》くと、まるでまっ赤《か》なほらあなです。

「ああ、もうだめだ。オガーチャーン！」

サムガリーは、ぎゅっと目《め》をつぶりました。
ド、ドーッ、ピュー！
すさまじい風《かぜ》とくらやみ。

（ああ、へびのおなかの中《なか》にのみこまれていくんだ。）

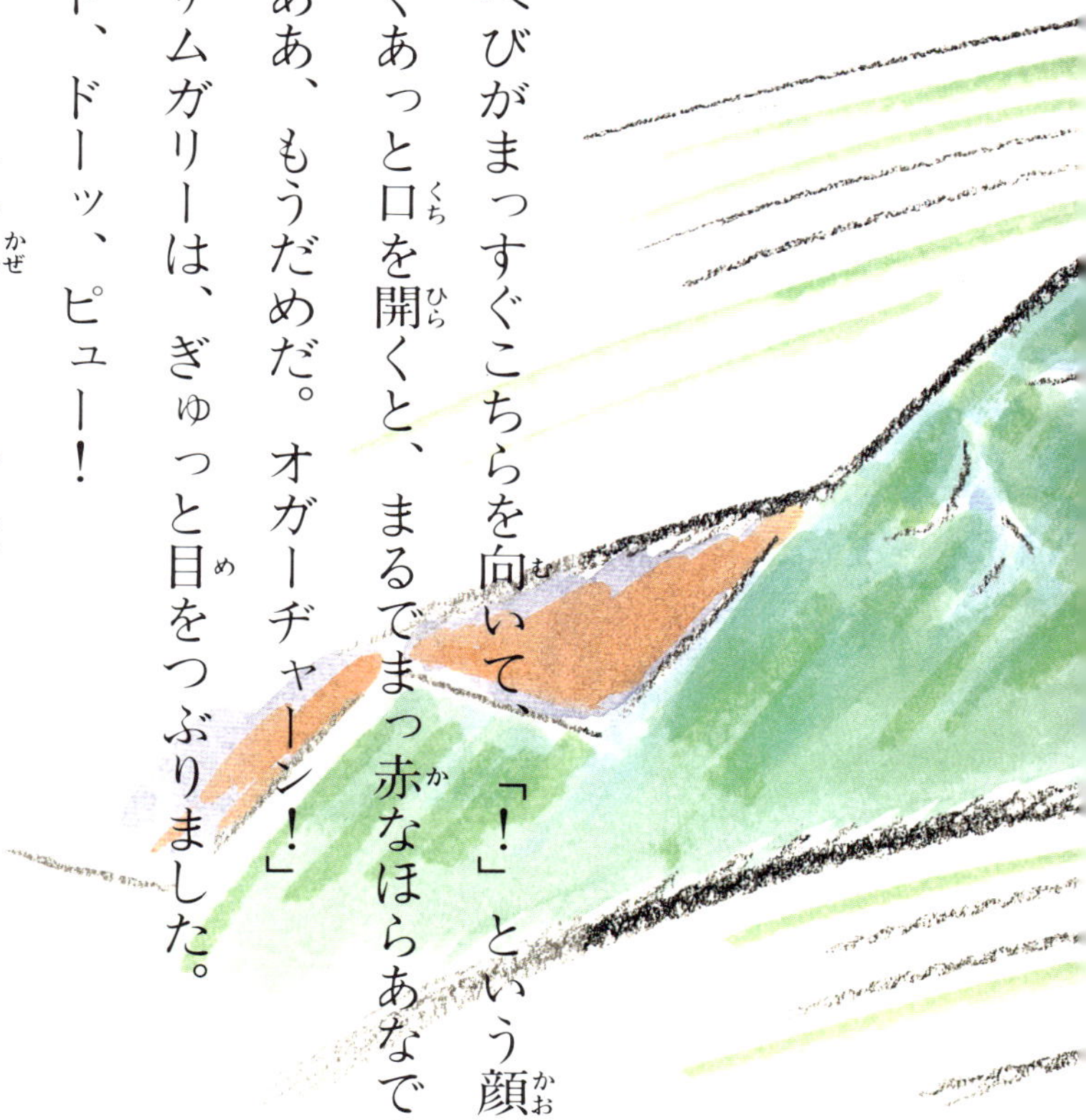

おそるおそる目《め》を開《あ》けたサムガリーは、キョトン！
なんと、サムガリーはもとの場所《ばしょ》にボーッと立《た》っていて、目《め》の前《まえ》にいたはずのへびは、消《き》えうせています。見《み》まわすと、はるか空中《くうちゅう》を、大《おお》へびをつかんだトリドリが飛《と》びさっていくところでした。
「助《たす》かった！」

サムガリーは、へなへなと
ダイアモンドの上《うえ》に
すわりこみました。
そのときです。
あたりのダイアモンドを
ふん水《すい》のようにはねあげて、
ドーンとついらくしてきたのは、
オバタンの大《おお》なべです。
ほうたいをめちゃくちゃに
からだにまきつけた
ラムさんも、のっていました。

「トリドリは、あっちの山《やま》で食事中《しょくじちゅう》だ。それっ、今《いま》のうちにダイアモンドをつみこむんだ。」

ころがりおりてきたオバタンは、足《あし》もとのダイアモンドをせっせと大《おお》なべに、投《な》げいれはじめました。

ラムさんとサムガリーも、ひろっては投《な》げいれ、ひろっては投《な》げいれ。まもなく、オバタンの大《おお》なべには、ダイアモンドが山《やま》もりになりました。

「おお、すばらしい！」

「みごとなながめ！」

まだまだ、ダイアモンドは、いくらでもころがっています。

サムガリーは、耳《みみ》のあなや鼻《はな》のあなにまでつめこみました。

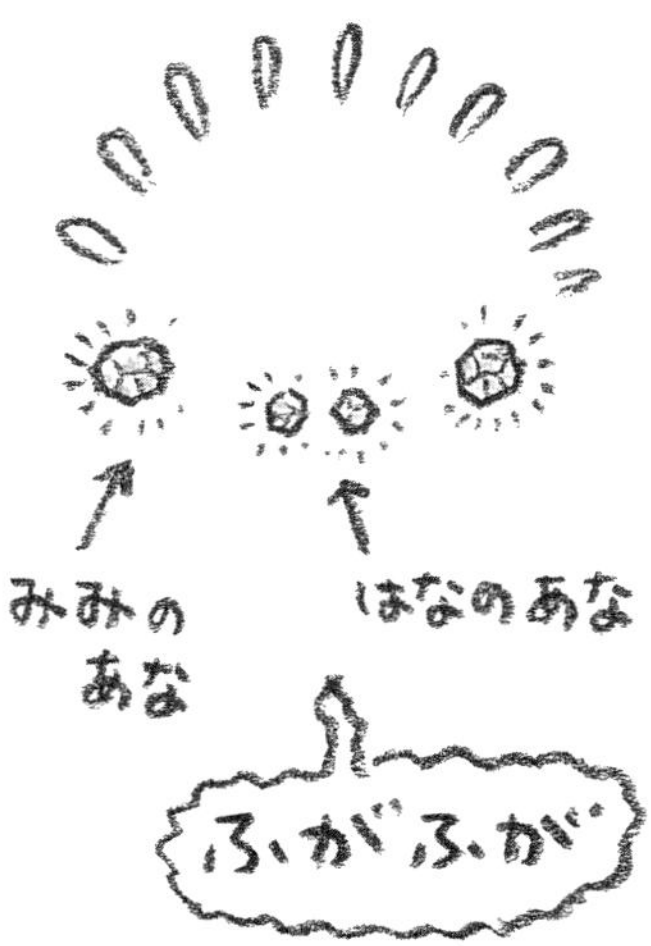

「よし、そろそろもどろう。みんな、のった、のった！」

山《やま》もりのダイアモンドの上《うえ》に、三人《にん》が飛《と》びのったのですが、なんと大《おお》なべは、ブ〰〰とブーイング。

「重量《じゅうりょう》オーバーです。」

と言《い》ったまま、いくらオバタンがじゅもんをとなえても、ぴくりともしません。

「このごろ、こいつはなまいきになって、ちょっと重《おも》たいとブーイングするんだよ。しょうがない。サムガリーさん、おりとくれ。また、むかえにくるからさ。」

「えーっ？」

なきべそをかきながら、サムガリーがおりたのですが、まだブーイングは止《と》まりません。

「ぼくもおりるよ。」

ラムさんもおりたのですが、まだブーイングは止《と》まりません。ますます大《おお》きな音《おと》で、あたりに鳴《な》りひびきます。

「シーッ、シーッ。トリドリに聞《き》こえたら、どうするのさ。」

「ああっ！」

ラムさんがさけびました。

見《み》れば、ブーイングの音《おと》を聞《き》きつけたのか、がけのあちこちに開《あ》いたほらあなから、大《おお》へびが何《なん》びきも、にょろにょろとはいだしてきたではありませんか。

「うわっ、たいへんだ！」

こうなったら、ダイアモンドどころではありません。

みんなで大《おお》なべをひっくりかえして、からにすると、とたんにブーイングは鳴《な》りやみました。

三人《にん》は大《おお》あわてで飛《と》びのり、オバタンがじゅもんをとなえました。

五、六ぴきの大《おお》へびが、大《おお》なべめがけて、いっせいに飛《と》びかかってきたときには、間一髪《かんいっぱつ》、空《そら》に飛《と》びあがっていました。

「あーあ、ダイアの山《やま》を目《め》の前《まえ》にして、たったのこれっぽっち。」

岩《いわ》だなにもどったオバタンがくつをぬぐと、ダイアが四こ、ころがりでてきました。

ラムさんのほうたいのはじにも、ダイアが四こ。サムガリーの鼻《はな》のあなと、耳《みみ》のあなにも、それぞれ二こずつ。

あきらめきれない三人《にん》が、谷底《たにぞこ》をのぞいてみると、大《おお》へびたちもあきらめきれないようすで、そろってかま首《くび》をもたげて見《み》あげていました。

「みんななかよく四こずつ、ダイアを手《て》にしたんだ。ま、いいか。」

「そうだよ。トリドリが帰《かえ》ってこないうちに、早《はや》く帰《かえ》ろう。」

サムガリーは、すばやく服《ふく》を着《き》ました。ところが……。

「あれ？　マフラーがない。」

あちこち、きょろきょろさがしてみると、なんと、いつのまにかトリドリの巣《す》の中《なか》に、しかれていました。

「わるいけど、これは返《かえ》してもらうよ。おくさんのあんでくれた、だいじなマフラーだからね。」

サムガリーは、そうっとマフラーをひっぱりました。

すると、そのとき、ピキキ、ピキキッと音《おと》がして、卵《たまご》の一こがひびわれはじめたのです。

「おや、卵《たまご》がかえりそうだ。」

サムガリーが思《おも》わず見《み》とれていると、みごとにパカッと卵《たまご》がわれて、顔《かお》を出《だ》したのは、トリドリのひな。

サムガリーの方《ほう》を見《み》て、
「パー！」と鳴《な》きました。
「おや、この子《こ》、ボクの
顔《かお》が見《み》えるのかな。
かわいいね。」
サムガリーが、言《い》った
ときです。
「あっ、親鳥《おやどり》が帰《かえ》ってきたぞ！」
ラムさんが空《そら》を指《ゆび》さして
さけびました。
「にげろ！」

全員《ぜんいん》、ほらあなにかけこんで、もと来《き》た道《みち》をいちもくさん。
もちろん、大《おお》なべをころがしていくのはわすれませんでしたよ。
かんじんのダイアモンドは運《はこ》んでくれなかったとはいえ、あんなにお世話《せわ》になったんですからね。
ぶじ、大《おお》なべにのって、滝《たき》のうら側《がわ》のほらあなから飛《と》びたったとたん、滝《たき》の水《みず》は、ふたたび、ドーッと流《なが》れおちはじめました。

雪女《ゆきおんな》のユキミダイフクには、お礼《れい》にみんな一こずつ、ダイアモンドをあげました。これで、みんななかよく三こずつです。

ところで、サムガリーのおくさんが、なによりよろこんだプレゼントは、なんだと思《おも》います？

それは、サムガリーをパパだと思《おも》いこんで、ぞくぞく村《むら》までついてきてしまったトリドリのひなです。

ほら、ブティック「びっくり箱《ばこ》」の、かんばんの上《うえ》で、「パー、パー！」と鳴《な》いているでしょう？

パー
ブティック
びっくり箱

☆がいこつガチャさんの第三詩集《だいさんししゅう》「骨《ほね》まで愛《あい》して」、ただいま発売中《はつばいちゅう》！

ぞくぞく村《むら》だより８号《ごう》

サムガリー監修《かんしゅう》
とうめい人間《にんげん》特集《とくしゅう》

◆発行所《はっこうじょ》◆
ぞくぞく村《むら》広報室《こうほうしつ》

宝《たから》さがし、その後《ご》！

宝《たから》さがしの大《だい》ぼうけんをして、ダイアモンドを手《て》にしたミイラのラムさん、魔女《まじょ》のオバタン、とうめい人間《にんげん》サムガリー、それに、三人《にん》からダイアを一こずつもらった雪女《ゆきおんな》のユキミダイフク。その後《ご》、四人《にん》は、ダイアモンドをどんなふうに、つかっているでしょう。

魔女《まじょ》のオバタン

ダイアにサイコロの目《め》をかいて、ダイアモンド占《うらな》い。

とうめい人間《にんげん》サムガリー

もちろん、おくさんのナオミさんのイアリングとゆびわにした。

ミイラのラムさん

自分《じぶん》の店《みせ》のこっとう屋《や》で目玉商品《めだましょうひん》として売《う》り出《だ》し中《ちゅう》。（高《たか》い！）

雪女《ゆきおんな》のユキミダイフク

せっかくもらったのに、雪《ゆき》の中《なか》に落《お》っことして、必死《ひっし》でさがしている最中《さいちゅう》。

☆おねがい

サムガリーについてきてしまった、トリドリのひなの名前《なまえ》を考《かんが》えてね。名前《なまえ》が決《き》まったら、ぞくぞく村《むら》だより9号で発表《はっぴょう》します。

♪やっぱり結婚《けっこん》したい！　だれか、またお見合《みあ》いを世話《せわ》して！（吸血鬼《きゅうけつき》ドラキュラ）

発表《はっぴょう》！

毎年、サムガリーは、おくさんのナオミさんのたんじょう日《ひ》には、あっと言《い》わせるようなプレゼントをおくっています。今《いま》までナオミさんのよろこんだプレゼント、ベスト3を発表《はっぴょう》します。

（ちなみに、ナオミさんからサムガリーへのたんじょうプレゼントは、毎年《まいとし》、手《て》あみのマフラー！）

1 手づくり福笑《ふくわら》い

2 サムガリーのかいた肖像画《しょうぞうが》

3 ひそひそ川《かわ》の水《みず》を洗面器《せんめんき》にくんで作《つく》った美人鏡《びじんかがみ》

おみまい

サムガリーたちが、宝《たから》さがしから帰《かえ》ってきたあと、とじてしまった滝《たき》のうらの、ほらあなをほりに出《で》かけて、滝《たき》つぼに落《お》っこちてしまったゴブリンさん、早《はや》くよくなって！

質問《しつもん》コーナー

Q. とうめい人間《にんげん》でいて、べんりなことと、ふべんなことは？

A.

（ナオミ）「べんりなことはなんといっても、日焼《ひや》けやしわを気《き》にしなくていいことね。」

（サムガリー）「つごうのわるいときには、いないふりができるのが、べんり！」

（ナオミ）「ふべんなのは、相手《あいて》がおこってるのか、よろこんでるのか、わからないことね。」

（サムガリー）「そうそう。いちいちお面《めん》をかぶらなきゃならないのは、ふべんだね。」

★おたよりください◆あてさき◆〒一〇一　東京都千代田区西神田三―二―一　あかね書房「ぞくぞく村」係

作者　**末吉暁子**（すえよし　あきこ）
神奈川県生まれ。児童図書の編集者を経て、創作活動に入る。『星に帰った少女』（偕成社）で日本児童文学者協会新人賞、日本児童文芸家協会新人賞受賞。『ママの黄色い子象』（講談社）で野間児童文芸賞、『雨ふり花さいた』（偕成社）で小学館児童出版文化賞、『赤い髪のミウ』（講談社）で産経児童出版文化賞フジテレビ賞受賞。長編ファンタジーに『波のそこにも』（偕成社）が、シリーズ作品に「きょうりゅうほねほねくん」「くいしんぼうチップ」（共にあかね書房）など多数がある。垂石さんとの絵本に『とうさんねこのたんじょうび』（BL出版）がある。2016年没。

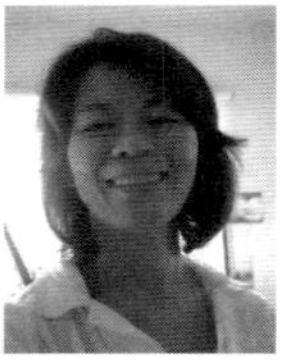

画家　**垂石眞子**（たるいし　まこ）
神奈川県生まれ。多摩美術大学卒業。絵本に『ライオンとぼく』（偕成社）、『おかあさんのおべんとう』（童心社）、『もりのふゆじたく』『きのみのケーキ』『あたたかいおくりもの』『あいうえおおきなだいふくだ』『あつい あつい』（以上福音館書店）、『メガネをかけたら』（小学館）、『わすれたって、いいんだよ』（光村教育図書）、『けんぽうのえほん　あなたこそたからもの』（大月書店）などがある。挿絵の作品に『かわいいこねこをもらってください』（ポプラ社）など多数。
日本児童出版美術家連盟会員。
垂石眞子ホームページ
http://www.taruishi-mako.com/

ぞくぞく村のおばけシリーズ⑧　**ぞくぞく村のとうめい人間サムガリー**

発　行＊1996年8月初版発行　2022年9月第41刷　NDC913　79p　22cm
作　者＊**末吉暁子**　画　家＊**垂石眞子**
発行者＊岡本光晴
発行所＊**あかね書房**　〒101-0065　東京都千代田区西神田3-2-1／TEL 03-3263-0641㈹
印刷所＊錦明印刷㈱　写植所＊㈲千代田写植　製本所＊㈱難波製本

ISBN978-4-251-03678-0

ぞく村
雨ぼうずの家
びしょびしょ丘
おしゃれおばけの家
オバタンの家
もじゃもじゃ原っぱ
ブろブろの木
ミイラのラムさん
ゴブリンの家
とんとん橋
おばけかぼちゃ畑
吸血鬼の家
ぱかぽか森
ひきひき川